DEGAS

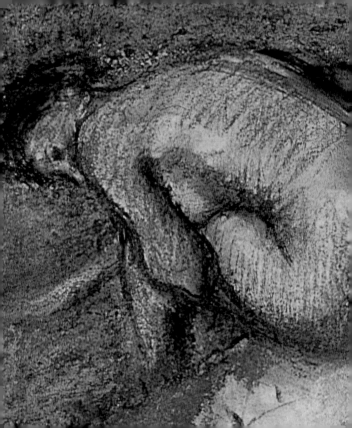

DEGAS

George T. M. Shackelford

EDITIONS ABBEVILLE

NEW YORK   PARIS   LONDRES

En souvenir de ma mère, Sue Madison Shackelford

Première de couverture : *Ballet (L'Etoile)* (détail), 1876-1877.
Voir page 172.
Quatrième de couverture : *Portrait de famille (La Famille Bellelli)*,
1858-1867. Voir page 49.
Dos : *Portrait de l'artiste dit Degas au chapeau mou* (détail), 1857.
Huile sur papier monté sur toile, 26 x 19 cm. Sterling and Francine
Clark Art Institute, Williamstown, Massachussets.
Page 1 : *Autoportrait* (détail), vers 1864. Mine de plomb sur papier
calque, 36,5 x 24,5 cm. Musée du Louvre, Département des Arts
Graphiques (Fonds du Musée d'Orsay), Paris.
Page 2 : *Baigneuses* (détail), vers 1896-1900. Voir page 269.
Page 6 : *Portrait de l'artiste : Degas saluant*, vers 1863. Huile sur toile,
92,5 x 66,5 cm. Musée Calouste Gulbenkian, Lisbonne.
Page 22 : *Petites filles spartiates provoquant des garçons* (détail),
vers 1860-1862. Voir page 37.
Page 42 : *Monsieur et Madame Edmondo Morbilli* (détail), vers 1865.
Voir page 53.
Page 80 : *Le Café-concert – Aux Ambassadeurs* (détail), 1876-1877.
Voir page 102.
Page 122 : *Le Défilé. Chevaux de courses, devant les tribunes* (détail),
1866-1868. Voir page 129.
Page 150 : *L'Attente* (détail), vers 1882. Voir page 193.
Page 204 : *Femme se baignant dans un tub* (détail), 1886. Voir page 223.
Page 234 : *Femme à sa toilette* (détail), 1900-1905. Voir page 273.

SOMMAIRE

INTRODUCTION
PORTRAIT D'UN INCONNU

« Je voudrais devenir illustre et inconnu », a dit Edgar Degas, et il est aujourd'hui incontestablement illustre. Le nom de Degas évoque immédiatement l'un des maîtres impressionnistes – même s'il méprisait ce vocable, préférant être considéré comme « indépendant ». Non content d'être presque unanimement reconnu comme l'un des plus grands dessinateurs de tous les temps, Degas est aussi admiré pour la virtuosité et la subtilité de ses modulations de couleurs et ses innovations dans le domaine de la peinture à l'huile et du pastel, qui rivalisent sans peine avec les tons clairs délibérément peu contrastés des tableaux de ses contemporains Claude Monet ou Auguste Renoir. Enfin et surtout, il doit sa plus grande célébrité à ses représentations de la danse, aux images qu'il en a créées, révérées par les amateurs de ballet du monde entier. C'est pourtant bien le même peintre qui dans sa jeunesse consignait dans son journal : « Il y a une sorte de honte à être connu, surtout des gens qui ne vous comprennent pas. La grosse réputation est donc une sorte de honte ».

Pour être illustre, Degas n'en reste pas moins insaisissable. L'on glane des bribes de sa personnalité dans les carnets et lettres qui nous sont parvenus, comme dans les anecdotes et conversations recueillies par ses amis et relations de son vivant ou au moment de sa disparition. Surtout, l'on dispose d'œuvres, qui ne révèlent que lentement leurs secrets, au prix d'une étude assidue. Mais l'artiste refusa toujours d'être « compris » au sens conventionnel, rejeta avec mépris toute tentative de l'insérer dans un cadre historique, repoussa les louanges et la gloire lorsqu'elles apparaissaient trop faciles. Degas était présent dans la salle quand on vendit aux enchères son tableau *Danseuses à la barre* en 1912 pour la somme record de 435.000 francs, et répondit dédaigneusement à ceux qui lui demandaient s'il n'était pas déçu de ne pas profiter de cette énorme plus-value : « Je suis comme un cheval de courses qui a gagné le Grand Prix… et qui n'a que sa ration d'avoine ».

Les recherches approfondies menées depuis vingt ans ont considérablement accru nos connaissances sur certains aspects de la vie de Degas ; ainsi reste-t-on ébahi devant le nombre de représentations de l'opéra *Sigurd* auquel il assista autour de 1890 (pas moins de trente-sept !). De même peut-on décrire avec précision les trente-deux états successifs que connut la gravure *Après le bain* en 1879 et 1880. Peu à peu se comblent les lacunes sur les diverses techniques qu'employa Degas, ses voyages, ses amis et sa famille. Mais si le contexte se met en place,

Hilaire Degas, 1857
Huile sur toile, 53 x 41 cm
Musée d'Orsay, Paris

l'homme lui-même demeure éminemment insaisissable, évasif, contradictoire et complexe.

Hilaire-Germain-Edgar Degas naquit à Paris en 1834, l'aîné des cinq enfants d'Auguste et Célestine De Gas. Ses deux parents étaient français, mais nés l'un et l'autre dans de lointaines contrées. Auguste avait été élevé à Naples, où ses parents avaient fui la Révolution, tandis que Célestine Musson venait du monde francophone de la Nouvelle-Orléans. Auguste s'était installé à Paris dans les années 1820 pour y diriger une succursale de la banque paternelle. (De cette époque date l'orthographe pseudo-aristocratique, De Gas, du patronyme, à laquelle renoncerait le peintre dans les années 1860).

Degas sentit peut-être s'éveiller ses goûts artistiques grâce à son père, qui l'emmena voir d'importantes collections parisiennes ; l'un de ses condisciples, Paul Valpinçon, était également fils d'un grand collectionneur. A la fin de ses études secondaires, Degas, qui avait résolu de se consacrer à la peinture, se mit à copier les maîtres anciens au Louvre et à la Bibliothèque Nationale. Pour complaire aux désirs de son père, il fit de brèves tentatives d'études de droit, mais dès 1855, était inscrit à l'Ecole des Beaux-Arts. Il la quittait en 1856 pour accomplir un voyage d'étude de trois ans en Italie. A son retour, ne rêvant que peinture d'histoire dans le style des maîtres anciens, il fut la proie de tentations modernistes, portraits et tableaux de genre. Jusqu'en 1865, Degas oscillerait entre ces deux pôles, exécutant en même temps les *Petites filles spartiates provoquant des garçons* (page 37), d'inspiration classicisante, et ses premières représentations de jockeys et chevaux (page 126).

La légende veut qu'un jour de 1865, alors que Degas copiait au Louvre un portrait de Vélasquez, il ait été remarqué par Edouard Manet, l'un des tenants les plus connus de l'avant-garde artistique, qui l'aborda et lui prodigua ses conseils, et qu'ait ainsi débuté l'amitié entre les deux hommes. Manet, à l'époque, devait sa célébrité à l'inimitable talent avec lequel il dépeignait le Paris moderne, ses foules élégantes ou pouilleuses, l'âme d'une ville de splendeur et de misère. Encouragé par le réalisme si nouveau de Manet, Degas se prit de passion pour Paris, pour les sujets inexplorés qui s'offraient ainsi à ses crayons et à ses pinceaux.

Pendant les années 1870, Degas se consacra à la peinture de la vie moderne, multipliant les scènes de champs de courses, de danse, de cafés, de bordels même, ainsi que les portraits de critiques et collectionneurs, artistes et écrivains. Il alla en 1872-1873 rendre visite à la Nouvelle-Orléans à ses frères qui s'y étaient installés avec leurs familles pour leurs affaires, et découvrit dans ce nouveau monde maints sujets fascinants, tel le bureau où sa famille se livrait au courtage du coton (pages 94-95).

De retour à Paris, Degas éprouva rapidement le même mécontentement que les autres jeunes peintres envers les expositions officielles d'œuvres d'une facture par trop conventionnelle. «le mouvement réaliste n'a plus besoin de lutter avec d'autres», écrivait-il en 1874 au peintre James Tissot, « *Il est, il existe*, il doit *se montrer à part*. Il doit y avoir un Salon des réalistes qui soit distinct ».

Cependant une exposition de peintres indépendants – la première de huit présentations par ceux que l'on appellerait bientôt les impressionnistes – s'organisait. (Degas participerait à toutes, sauf à la septième, en 1882). Les critiques ne lui mesuraient pas les louanges, le jugeant sans doute moins intransigeant que certains paysagistes du groupe. Il ne tarda pourtant pas à déchaîner les controverses : en 1881, la *Petite danseuse de quatorze ans* était un véritable manifeste réaliste, et l'ensemble de nus aux poses difficiles qu'il montra en 1886 fit sensation.

Les œuvres exposées par Degas avec les impressionnistes témoignaient d'une immense variété de techniques. Outre la peinture à l'huile sur toile, il privilégiait ses travaux sur papier, dessins au crayon, à la craie ou au fusain, peinture au pastel, à la gouache, à la détrempe, sans oublier sa peinture à l'essence de prédilection, où les couleurs à l'huile sont diluées dans la térébenthine. Cette multiplicité de supports obéissait à des raisons tant artistiques que pratiques : au milieu des années 1870, des

Autoportrait, 1855
Huile sur toile, 81 x 64 cm
Musée d'Orsay, Paris

Autoportrait, 1857
Gravure, 36 x 26 cm
Bibliothèque d'Art et d'Archéologie,
Fondation Jacques Doucet, Paris

revers de fortune familiaux obligèrent Degas à vendre plus, or les œuvres de petite taille ou sur papier trouvaient plus facilement preneur. En 1877, il exposait un ensemble expérimental de ce que l'on appelle aujourd'hui « monotypes », qu'il décrivait comme des « dessins faits à l'encre grasse et imprimés ». Il se montrait tout aussi inventif en sculpture, et la *Petite danseuse de quatorze ans* en cire, vêtue d'un costume de danseuse en miniature, avec une perruque et un ruban dans les cheveux, s'avérait presque alarmante de vérité.

Degas se comportait dans son atelier comme un chef dans ses cuisines, essayant de nouvelles recettes de piquants mélanges de techniques, rectifiant avec soin les dimensions d'une œuvre pour en accentuer la saveur, cherchant à ravir et surprendre ses spectateurs avec une couleur inattendue ou une perspective entièrement novatrice. Il utilisait ses carnets pour noter ses diverses expériences, les adresses de fournisseurs, exposer de nouvelles possibilités techniques ou élaborer de nouvelles stratégies artistiques : « Etudier à toute perspective / une figure ou un objet, n'importe quoi… Etablir des gradins tout autour de la salle pour habituer à dessiner de bas et de haut les choses / ne laisser peindre les choses que vues dans une glace… faire poser au rez-de-chaussée et faire travailler au premier, pour habituer à retenir les formes et les expressions et à ne jamais dessiner ou peindre *immé-*

diatement ». De l'alliance entre mémoire et imagination naissaient à l'atelier des œuvres pourvues d'un extraordinaire sens de l'immédiat, souvent créé par la position où s'était placé l'artiste – loin ou proche de l'action, dessus ou dessous (pages 121, 143, 200).

A étudier les œuvres de Degas, ses écrits, ceux de ses amis et de son entourage, l'on découvre la vaste manipulation qu'il imposait à ses matériaux comme à ses sujets. D'ailleurs, il n'hésitait pas à assimiler l'art à l'artifice, trichant pour donner l'impression de nature. Ainsi, pouvait-on dessiner une ligne droite de travers, tant qu'elle semblait droite. Là où le public voyait de la spontanéité – les impressionnistes passant pour travailler rapidement et sans contrainte – Degas réagissait violemment : « Je vous assure qu'aucun autre art ne fut moins spontané que le mien ». Il arrivait que son œuvre procédait de la réflexion et de l'étude des grands maîtres, et qu'il ignorait tout de l'inspiration, de la spontanéité et du tempérament.

Calculateur, trompeur, réfléchi, artificiel, voilà les termes qu'aurait employé Degas pour décrire le grand artiste, qui devait aussi vivre à part, sans rien révéler de sa vie privée. Lui-même demeurerait entièrement discret sur sa vie sentimentale. Il eut beaucoup d'amis proches pendant toute sa vie, mais autant de fâcheries, dûes à son entêtement et son redoutable mauvais caractère. Il fut en

Six amis à Dieppe, 1885
Pastel sur papier, 115 x 71 cm
Museum of Art, Rhode Island School of Design, Providence

Danseuse en position devant, de trois-quarts, vers 1872
Crayon et craie blanche sur papier rose, 41 x 28,5 cm
Harvard University Museums, Fogg Art Museum,
Cambridge, Massachusetts

désaccord avec son ami d'enfance, le dramaturge Ludovic Halévy, au sujet de la culpabilité du capitaine Alfred Dreyfus, un officier juif accusé à tort de trahison. Malgré la grande affection qui liait les deux hommes, Degas finit par écrire en 1897 à Madame Halévy qu'il ne franchirait plus le seuil de sa maison.

S'il a parfois été jusqu'à la cruauté, Degas était du moins conscient de sa dureté. Il plaisantait devant le marchand et collectionneur Ambroise Vollard que s'il se montrait trop complaisant, il n'aurait jamais une minute pour travailler, et qu'on fond, il était d'un naturel timide. Et à Evariste de Valernes, peintre mineur qui était son ami depuis les années 1860, il écrivait en 1890 : « J'étais ou je semblais dur avec tout le monde, par une sorte d'entraînement à la brutalité qui me venait de mon doute et de ma mauvaise humeur. Je me sentais si mal fait, si mal outillé, si mou, pendant qu'il me semblait que mes *calculs* d'art étaient si justes. Je boudais contre tout le monde et contre moi. Je vous demande bien pardon si, sous le prétexte de ce damné art, j'ai blessé votre très noble et très intelligent esprit, peut-être même votre cœur ».

Le siècle finissant, l'artiste était toujours à l'ouvrage, aussi déterminé dans ses « calculs » qu'il l'avait été jeune homme. Mais le spectre de la cécité, présent depuis les années 1870, menaçait de l'ensevelir, et il écrivait à la famille de sa sœur : « Je désire avant tout rester seul, tra-vailler le plus calme possible avec mes pauvres yeux, et pour obtenir ce repos et ce suprême bien, me condam-ner à mourir seul aussi ». S'il ne cessait pas de pratiquer son art, Degas était en proie à la mauvaise santé et, semble-t-il, à la dépression. Daniel, le fils de son ami Halévy, allant lui rendre visite en 1904, fut choqué de le trouver « vêtu comme un vagabond, un homme amaigri, un autre homme ».

Il alla rendre une dernière visite à sa famille en Italie à l'automne 1906, et six ans plus tard dut abandonner l'appartement où il habitait depuis plus de dix ans. Ce déménagement semble l'avoir fort amoindri : « Je ne tra-vaille plus depuis mon emménagement… ça m'est égal, je laisse tout… C'est étonnant, la vieillesse, comme on devient indifférent… ». Lorsqu'il ne put plus voyager, il prenait les omnibus ou le tram et se rendait dans les ban-lieues. Il arpenta quotidiennement les rues de Paris jusqu'en 1915, où sa santé se détériora et, soigné par sa nièce, mourut en 1917. Ses amis – dont certains ne l'avaient pas vu depuis des années – l'enterrèrent dans le caveau de famille, tandis que grondait au loin le canon.

Deux danseuses au repos, vers 1910
Pastel et fusain sur papier, 78 x 98 cm
Musée d'Orsay, Paris

LES PREMIÈRES ŒUVRES

Au début du printemps de 1853, Degas acheva son baccalauréat au lycée Louis-le-Grand et, en quelques
semaines, était déjà inscrit comme copiste au Musée du
Louvre et au département des estampes de la Bibliothèque Nationale. Son désir de copier les œuvres du
passé constitue la première preuve de ses tendances artistiques, précédant son incursion sans lendemain dans les
études de droit et avant qu'il ne décide de se consacrer à
l'art en 1855. Cette année-là, il passa l'examen d'entrée à
l'Ecole des Beaux-Arts et y devint l'élève de Louis
Lamothe, peintre conservateur dans la tradition de Jean-
Auguste-Dominique Ingres, pour lequel le jeune Degas
(comme son père) avait la plus fervente admiration.

   A partir des années 1850, les copies d'après les maîtres
anciens, telle celle de *L'Esclave enchaîné* de Michel-Ange
(page 31) alternent avec des études sur le modèle, tel le
délicat *Etude de nu* (page 27) dans les tableaux et dessins
de Degas. Pendant ces années capitales des voyages en
Italie il eut l'occasion d'étudier les génies de la Renaissance et d'apprendre pour la première fois la genèse d'un
grand art (page 30). Pour ce jeune étudiant aux Beaux-
Arts allant ensuite poursuivre indépendamment son édu-
cation artistique, copier était un élément essentiel de son

programme, la première étape du travail d'après nature. Bien des années plus tard, Degas en était encore persuadé, et dirait à Ambroise Vollard : « Il faut copier et recopier les Maîtres, et ce n'est qu'après avoir donné toutes les preuves d'un bon copiste qu'il pourra raisonnablement vous être permis de faire un radis d'après nature ».

Les carnets et la correspondance de Degas révèlent l'ampleur grandissante de son appréciation pour diverses écoles artistiques ; s'il recherca d'abord l'art du dessin et la forme des maîtres florentins, il admirait bientôt – sous l'influence de son ami le peintre Gustave Moreau – la richesse de coloris de la Renaissance vénitienne. C'est également en Italie que prit forme un penchant à l'introspection et au doute de soi qu'il masquerait plus tard avec talent sous les traits d'esprit et l'humour. « Le mieux », écrivait-il à Moreau, « est d'employer mon temps à étudier mon métier ; je ne pourrais rien entreprendre de moi. Il faut une grande patience dans le dur chemin où je me suis engagé… Je me rappelle la conversation que nous avons eue à Florence sur les tristesses qui sont la part de celui qui s'occupe d'art… Elles augmentent avec l'âge et les progrès et la jeunesse n'est plus pour vous consoler par un peu plus d'illusions et d'espérances ».

De retour à Paris après son second séjour en Italie, appliquant les leçons et techniques qu'il avait apprises,

Degas entreprit *La Fille de Jephté* (page 33), le premier d'un ensemble de tableaux d'histoire complexes, aux multiples figures, qui comprenait également *Sémiramis construisant Babylone* (page 35), les *Petites filles spartiates provoquant des garçons* (page 37), et *Scène de guerre au Moyen Age* (pages 22 et 41). Il s'acharna longuement sur ces œuvres, réalisant de minutieuses études préparatoires de composition et d'innombrables dessins de figures individuelles qui comptent parmi les plus beaux et émouvants qu'il ait accomplis. Mais il laissa les tableaux inachevés, ou les abîma à force de les retravailler, et seule la *Scène de guerre* fut montrée au public au Salon. Ces œuvres des débuts sont pourtant inséparables de l'ensemble de la production artistique de Degas ; et les dessins de femmes nues dans des poses caractéristiques et parfois dérangeantes créés alors préfigurent les thèmes de femmes au bain et de prostituées des années 1870 et 1880. « Ah ! Giotto ! », écrivait Degas, « laisse-moi voir Paris, et toi, Paris, laisse-moi voir Giotto ! ».

Tête italienne, vers 1856
Fusain sur papier ivoire, 38,4 x 26 cm
The Art Institute of Chicago

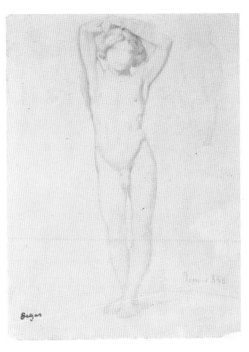

Etude de nu, 1856
Mine de plomb sur papier rose, 28,2 x 21 cm
W.B. Brady & Co., New York

Mendiante romaine, 1857
Huile sur toile, 100,3 x 72,2 cm
Birmingham Museums and Art Gallery, Angleterre

Portrait de femme, d'après Pontormo, dans les années 1850
Huile sur toile, 63,5 x 44,5 cm
National Gallery of Canada, Ottawa

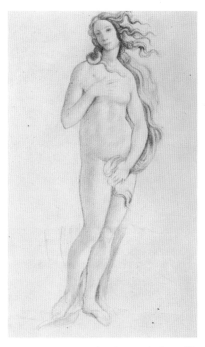

Copie d'après la « Naissance de Vénus » de Botticelli, vers 1859
Mine de plomb sur papier, 30 x 22,5 cm
Collection particulière

L'Esclave enchaîné, d'après Michel-Ange, vers 1859
Mine de plomb sur papier, 33 x 22,9 cm
Collection particulière

Le Calvaire, d'après Mantegna, 1861
Huile sur toile, 69 x 92,5 cm
Musée des Beaux-Arts, Tours

La Fille de Jephté, vers 1859–1861
Huile sur toile, 195,5 x 293,5 cm
Smith College Museum of Art, Amherst, Massachusetts

*Figure debout, drapée, étude pour « Sémiramis construisant
Babylone »*, vers 1860-1862. Mine de plomb, rehauts
d'aquarelle et de gouache sur papier bleu, 29,1 x 21,9 cm
Musée du Louvre, Département des Arts Graphiques
(Fonds du Musée d'Orsay), Paris

34

Sémiramis construisant Babylone, vers 1860–1862
Huile sur toile, 150 x 258 cm
Musée d'Orsay, Paris

L'Enlèvement des Sabines, d'après Nicolas Poussin, vers 1861–1863
Huile sur toile, 149,9 x 207 cm
Norton Simon Art Foundation, Pasadena, Californie

Petites filles spartiates provoquant des garçons, vers 1860–1862,
repris plus tard. Huile sur toile, 109 x 155 cm
National Gallery, Londres

Femme nue assise, étude pour « Scène de guerre au Moyen Age »,
vers 1863–1865. Mine de plomb et crayon noir sur papier,
31,1 x 27,6 cm. Musée du Louvre, Département des Arts
Graphiques (Fonds du Musée d'Orsay), Paris

Femme demi-nue, allongée sur le dos, étude pour « Scène de guerre
au Moyen Age », vers 1863–1865. Crayon noir sur papier,
22,8 x 35,6 cm. Musée du Louvre, Département des Arts
Graphiques (Fonds du Musée d'Orsay), Paris   39

Femme nue debout, étude pour « Scène de guerre au Moyen Age »,
vers 1863-1865. Crayon noir et rehauts de blanc sur papier,
35,6 x 22,8 cm. Musée du Louvre, Département des Arts
Graphiques (Fonds du Musée d'Orsay), Paris

Scène de guerre au Moyen Age, 1863–1865
Peinture à l'essence sur papier marouflé sur toile, 81 x 147 cm
Musée d'Orsay, Paris

PORTRAITS

En 1858, Auguste Degas, le père du peintre, sachant per-
tinemment que les portraits offraient à bien des jeunes
peintres le moyen de gagner leur vie, écrivait ces mots
consolants à son fils, alors en Italie, qui se plaignait de
l'ennui qu'il éprouvait à portraiturer : « il faudra bien
que, plus tard, tu le surmontes car ce sera le plus beau
fleuron de ta couronne ». Il avait vu juste et son fils
deviendrait l'un des plus grands maîtres du portrait, mais
ne pouvait soupçonner que ce fils, non content de ne
jamais en exécuter pour des raisons mercantiles, réinven-
terait le genre en l'adaptant à ses impératifs artistiques.

Degas avait réalisé depuis les années 1850 d'éblouissants
portraits de ses amis et de sa famille, comme en témoignent les dessins et tableaux si pleins de sensibilité représentant ses frères et sœurs. Il se passionne très tôt pour les
ressemblances, explore la physionomie (page 56), les poses
(page 61) et la gestuelle (pages 50-51) qui lui inspireront
dans les années 1860 des images frappantes des membres
de son cercle intime – Léon Bonnat, Edouard Manet
(page 54) ou sa sœur Thérèse et son mari Edmondo Morbilli (pages 52-53). La plus grande partie de ses portraits
date pourtant d'entre 1865 et 1885, coïncidant avec l'éveil
de son goût pour les scènes de la vie parisienne jusqu'à la
rupture des expositions impressionnistes en 1886.

Le plus important des portraits de jeunesse de Degas est incontestablement celui que l'on appelle *La Famille Bellelli* (page 49), où sont représentés en grandeur presque nature sa tante Laure, la sœur de son père, ses cousines Giulia et Giovanna et leur père, Gennaro Bellelli. Commencé à Florence et achevé plus tard à Paris, ce tableau démontre, outre le talent de Degas pour faire éclore une ressemblance à force d'attention aux détails (pages 46-48), un don extraordinaire pour suggérer les rapports psychologiques les plus complexes et ambigus par le simple jeu des poses et l'atmosphère qui imprègne la composition.

Pour Degas, un portrait impliquait plus que la ressemblance, et se devait de révéler la personnalité à plus d'un plan. Il nota dans l'un de ses carnets qu'il voulait réhabiliter un exercice académique, la tête expressive, en en faisant « une étude des sentiments modernes ». Il voulait « faire des portraits des gens dans des attitudes familières et typiques, surtout donner à leur figure les mêmes choix d'expression qu'on donne à leur corps. Ainsi, si le rire est le type d'une personne, la faire rire. Il y a, bien entendu, des sentiments qu'on ne peut pas rendre, par bienséance, les portraits n'étant pas que pour nous, les peintres ».

« Que de fines nuances à mettre », remarquait Degas. Peu à peu, il prit la décision de placer ses portraits dans des cadres révélateurs de leurs occupations et de leur position sociale. Ainsi montrera-t-il son oncle et ses frères dans leur bureau de courtage de coton à la Nouvelle-Orléans (page 95), tandis qu'il fit poser les écrivains Diego Martelli et Edmond Duranty devant leurs bureaux encombrés (pages 70-73) et Hélène Rouart dans l'atelier de son père (page 79). Tous ces portraits, jaillis de la passion de Degas pour le monde qui l'entourait, relevant parfois autant de la scène de genre que de la pure ressemblance, témoignent qu'il était parvenu à en faire l'incarnation des « sentiments modernes ».

Giovanna Bellelli, étude pour « Portrait de famille », 1858–1859
Crayon noir sur papier rose, 32,6 x 23,8 cm
Musée du Louvre, Département des Arts Graphiques
(Fonds du Musée d'Orsay), Paris

Giulia Bellelli, étude pour « Portrait de famille », 1858-1859
Craie et lavis gris sur papier, 23,4 x 19,6 cm
Musée du Louvre, Département des Arts Graphiques
(Fonds du Musée d'Orsay), Paris

Etude de mains pour le « Portrait de famille » 1858–1859
Huile sur toile, 38 x 46 cm
Musée d'Orsay, Paris

Portrait de famille (La Famille Bellelli), 1858–1867
Huile sur toile, 200 x 250 cm
Musée d'Orsay, Paris

Madame Julie Burtey, 1863–1866
Crayon et craie blanche sur papier, 36,2 x 27,3 cm
Harvard University Museums, Fogg Art Museum,
Cambridge, Massachusetts

Femme accoudée près d'un vase de fleurs (Madame Paul Valpinçon), 1865.
Huile sur toile, 73,7 x 92,7 cm
The Metropolitan Museum of Art, New York

Edmondo Morbilli, étude pour « Monsieur et Madame Edmondo Morbilli », vers 1865. Crayon sur papier, 31,7 x 22,8 cm
Museum of Fine Arts, Boston

Monsieur et Madame Edmondo Morbilli, vers 1865
Huile sur toile, 116,5 x 88,3 cm
Museum of Fine Arts, Boston

Edouard Manet, vers 1866–1868
Mine de plomb et encre sur papier, 35 x 20 cm
Musée d'Orsay, Paris

Portrait de l'artiste avec Evariste de Valernes, vers 1865
Huile sur toile, 116 x 89 cm
Musée d'Orsay, Paris

Portrait de jeune femme, vers 1867
Huile sur toile, 27 x 22 cm
Musée d'Orsay, Paris

Estelle Musson Degas, 1872–1873
Huile sur toile, 73 x 92 cm
National Gallery of Art, Washington, D.C.

Mademoiselle Malo, vers 1877
Huile sur toile, 81,1 x 65,1 cm
National Gallery of Art, Washington, D.C.

Mademoiselle Dihau au piano, vers 1870-1872
Huile sur toile, 45 x 32,5 cm
Musée d'Orsay, Paris

Madame Jeantaud devant un miroir, vers 1875
Huile sur toile, 70 x 84 cm
Musée d'Orsay, Paris

Jeantaud, Linet et Lainé, 1871
Huile sur toile, 38 x 46 cm
Musée d'Orsay, Paris

Hortense Valpinçon, 1871
Huile sur toile, 76 x 110,8 cm
The Minneapolis Institute of Arts

Oncle et nièce (Henri Degas et sa nièce Lucie Degas), vers 1876
Huile sur toile, 99,8 x 119,9 cm
The Art Institute of Chicago

63

Jeune femme en costume de ville, vers 1872
Peinture à l'essence ou gouache sur papier rose, 32,5 x 25 cm
Harvard University Art Museums, Fogg Art Museum,
Cambridge, Massachusetts

Carlo Pellegrini, vers 1876–1877
Aquarelle et pastel sur papier, 61 x 33 cm
The Tate Gallery, Londres

Lorenzo Pagans et Auguste De Gas, vers 1871–1872
Huile sur toile, 54 x 40 cm
Musée d'Orsay, Paris

Madame Camus, vers 1870
Huile sur toile, 72,7 x 92,1 cm
National Gallery of Art, Washington, D.C.

Mélancolie, fin des années 1860
Huile sur toile, 19 x 24,7 cm
Phillips Collection, Washington, D.C.

Ellen André, vers 1876
Monotype à l'encre noire sur papier, 21,5 x 16 cm
The Art Institute of Chicago

Edmond Duranty, 1879
Pastel et détrempe, 100,9 x 100,3 cm
The Burrell Collection, Glasgow

Portrait d'un peintre dans son atelier, vers 1878
Huile sur toile, 47 x 31,8 cm
Musée Calouste Gulbenkian, Lisbonne

Diego Martelli, 1879
Fusain et craie blanche sur papier, 45 x 28,6 cm
Harvard University Art Museums, Fogg Art Museum,
Cambridge, Massachusetts

Diego Martelli, 1879
Huile sur toile, 110 x 100 cm.
National Gallery of Scotland, Edimbourg

73

Portraits à la Bourse, 1878–1879
Huile sur toile, 100 x 82 cm
Musée d'Orsay, Paris

Portraits d'amis sur scène (Ludovic Halévy et Albert Cavé), 1879
Pastel sur papier, 79 x 55 cm
Musée d'Orsay, Paris

Deux études de Mary Cassatt ou Ellen André au Louvre, vers 1879
Fusain et pastel sur papier gris, 47,6 x 62,9 cm
Collection particulière

Ellen André, vers 1879
Pastel sur papier, 48,5 x 42 cm
Collection particulière

Mary Cassatt, vers 1884
Huile sur toile, 71,5 x 58,7 cm
The National Portrait Gallery,
Smithsonian Institution, Washington, D.C.

Hélène Rouart, 1886
Huile sur toile, 161 x 120 cm
National Gallery, Londres

LA VIE MODERNE

Dès les débuts de son séjour en Italie, Degas s'était montré enthousiaste observateur des situations et tempéraments contemporains. Il notait dans ses carnets, avec souvent un sens très vif de la caricature et un esprit caustique, l'aspect et les façons des gens qu'il rencontrait au cours de ses voyages. A partir d'environ 1865, alors que ses portraits privilégiaient de plus en plus l'élément narratif, Degas adopta des sujets inspirés par la vie contemporaine. Sur les traces de Gustave Courbet, qui avait dirigé le mouvement réaliste des années 1850 et à l'instigation de son ami Edouard Manet, peintre consacré de la vie moderne, Degas se mit à explorer les artères de la nouvelle métropole de Paris.

Arpentant la ville nuit et jour, Degas découvrit des situations bien faites pour plaire à son caractère ironique et sa passion pour les « tranches de vie ». S'il doit sa plus grande célébrité à ses sujets de danseuses, il était toujours à la recherche d'idées nouvelles. Le spectacle des Parisiens de toutes classes sociales au café ou au café-concert le ravissait (ci-contre et pages 101-103). Il en consignait les expressions de mémoire dans des albums qu'il utilisait pour dessiner dans les maisons amies où il allait dîner. Ainsi fit-il poser son amie l'actrice Ellen André pour le tableau *Dans un café* (page 100), la transformant en une buveuse d'absinthe invétérée. Il épiait actrices et chanteuses par les portes entr'ouvertes de leurs loges, et notait les ombres capricieuses posées sur leurs visages par les rampes lumineuses et les globes de verre des lustres.

En prévision d'une série de gravures en noir et blanc destinée à un magazine qu'il espérait créer, et qui se serait appelé *Jour et nuit*, il entassait les notes dans ses carnets, envisageant une « série sur les instruments et les instrumentalistes, leurs formes / tortillement des mains et des bras et de cou du violoniste » ; ou une autre série « sur la fumée / fumée de fumeurs, pipes, cigarettes, cigares / fumée des locomotives, des hautes cheminées / des fabriques, des bateaux à vapeur, etc… » ; ou encore une « sur la boulangerie, *le Pain* / Série sur les mitrons, vus dans la cave même, ou à travers les soupireaux de la rue… Essais en couleur sur les jaunes, roses, gris, blancs des pains ».

Extrêmement au fait du marché de l'art, Degas était à l'affût de sujets qui le feraient connaître et apprécier, tout en lui permettant de déployer ses talents de dessinateur et de coloriste. Pour autant que l'on sache, il n'a jamais achevé de tableaux ou pastels représentant des boulangers ou pâtissiers, mais l'on peut aisément les imaginer devant ceux qui nous montrent des modistes et blanchisseuses (pages 113-117 et 118-119), ouvrières dépeintes avec des accessoires symboliques – chemises empesées ou chapeaux aux garnitures criardes. Le dessin impitoyablement observateur de Degas saisit toutes les attitudes de leur profession, tandis que sa maîtrise des tons et nuances les plus exquis, l'étonnant découpage de l'espace, les figures tronquées dans une asymétrie calculée, suffisent à évoquer l'atmosphère de la boutique de modiste ou de la blanchisserie. Ne se contentant pas d'un sujet novateur, Degas entendait également le traiter de la façon la plus contemporaine.

L'Amateur d'estampes, 1866
Huile sur toile, 53 x 40 cm
The Metropolitan Museum, New York

La Visite au musée, vers 1885
Huile sur toile, 81,3 x 75,6 cm
National Gallery of Art, Washington, D.C.

Intérieur (Le Viol), vers 1868–1869
Huile sur toile, 81 x 116 cm
Philadelphia Museum of Art

Bouderie, vers 1869–1871
Huile sur toile, 32,4 x 46,4 cm
The Metropolitan Museum of Art, New York

La Blanchisseuse, vers 1869
Pastel, fusain et craie blanche sur papier, 74 x 61 cm
Musée d'Orsay, Paris

Femme repassant, vers 1876–vers 1887
Huile sur toile, 81,3 x 66 cm
National Gallery of Art, Washington, D.C.

Scène de plage, vers 1869
Peinture à l'essence sur papier marouflé sur toile, 47 x 82,6 cm
National Gallery, Londres

Marine, 1869
Pastel sur papier, 31,4 x 46,9 cm
Musée d'Orsay, Paris

Femme à la fenêtre, 1871–1872
Peinture à l'essence sur vélin chamois marouflé sur toile de lin,
61,3 x 45,9 cm. The Courtauld Institute of Art, Londres

Cour d'une maison (Nouvelle-Orléans), 1872
Huile sur toile, 60 x 75 cm
Ordrupgaardsamlingen, Copenhague, Danemark

Marchands de coton à la Nouvelle-Orléans, 1873
Huile sur toile, 60 x 73 cm
Harvard University Art Museums, Fogg Art Museum,
Cambridge, Massachusetts

Portraits dans un bureau (Nouvelle-Orléans), 1873
Huile sur toile, 73 x 92 cm
Musée des Beaux-Arts, Pau

La Femme à la potiche, 1872
Huile sur toile, 65 x 34 cm
Musée d'Orsay, Paris

Le Pédicure, 1873
Peinture à l'essence sur papier marouflé sur toile, 61 x 46 cm
Musée d'Orsay, Paris

Femmes se peignant, vers 1875
Essence sur papier, collé sur toile, 32,3 x 46 cm
The Phillips Collection, Washington, D.C.

Femme regardant avec des jumelles, vers 1866
Crayon et peinture à l'essence sur papier, 31 x 19 cm
The Burrell Collection, Glasgow

Dans un café (L'Absinthe), 1875-1876
Huile sur toile, 92 x 68 cm
Musée d'Orsay, Paris

Femmes à la terrasse d'un café, le soir, 1877
Pastel sur monotype sur papier, 41 x 60 cm
Musée d'Orsay, Paris

Le Café-concert – Aux Ambassadeurs, 1876–1877
Pastel sur monotype sur papier, 36 x 28 cm
Musée des Beaux-Arts, Lyon

La Chanteuse verte, vers 1884
Pastel sur papier bleu, 60,3 x 46,3 cm
The Metropolitan Museum of Art, New York

Chanteuse au gant, vers 1878
Pastel sur toile, 53 x 41 cm
Harvard University Art Museums, Fogg Art Museum,
Cambridge, Massachusetts

Actrices dans leur loge, 1879–1885
Pastel sur gravure à l'eau-forte sur papier, 16,5 x 22,9 cm
Collection particulière

Scène de bordel, vers 1879
Monotype à l'encre noire sur papier, 16,1 x 21,4 cm
Bibliothèque d'Art et d'Archéologie,
Fondation Jacques Doucet, Paris

Femme se peignant devant un miroir, vers 1877
Huile sur toile, 39,4 x 31,8 cm
Norton Simon Art Foundation, Pasadena, Californie

Femme se peignant, vers 1885
Fusain, craie blanche et pastel sur papier, 58,5 x 43 cm
The Fine Arts Museums of San Francisco, Achenbach
Foundation for the Graphic Arts

Au Café des Ambassadeurs, 1879-1880
Gravure à l'eau-forte, 26,5 x 29,5 cm
Bibliothèque Nationale de France, Paris

Au Café des Ambassadeurs, 1885
Pastel sur gravure à l'eau-forte sur papier, 26,5 x 29,5 cm
Musée d'Orsay, Paris

Dame à l'ombrelle, vers 1876–1880
Huile sur toile, 75 x 85 cm
The Courtauld Institute Galleries, Londres

Chez la modiste, 1882
Pastel sur papier, 75,6 x 85,7 cm
The Metropolitan Museum of Art, New York

Chez la modiste, 1882
Pastel sur papier, 75,9 x 84,8 cm
Collection Thyssen-Bornemisza, Madrid

Chez la modiste, vers 1882
Pastel sur papier, 67 x 67 cm
The Museum of Modern Art, New York

Petites modistes, 1882
Pastel sur papier, 48,3 x 68,6 cm
The Nelson-Atkins Museum of Art, Kansas City, Missouri

Chez la modiste, 1882–1886
Huile sur toile, 100 x 110,7 cm
The Art Institute of Chicago

Femmes repassant, vers 1884–1886
Huile sur toile, 76 x 81 cm
Musée d'Orsay, Paris

Les Repasseuses, vers 1884–1885
Huile sur toile, 82,2 x 75,6 cm
Norton Simon Art Foundation, Pasadena, Californie

Mademoiselle La La au Cirque Fernando, 1879
Huile sur toile, 116 x 77,5 cm
National Gallery, Londres

En attendant l'entrée en scène, vers 1890
Pastel sur papier, 51 x 34 cm
Wadsworth Atheneum, Hartford, Connecticut

JOCKEYS ET CHEVAUX

Contrairement aux autres artistes impressionnistes, Degas
n'est guère assimilé à la peinture de paysage en plein air.
« Vous savez ce que je pense des peintres de plein air – si
j'étais le gouvernement, j'aurais une brigade de gendar-
merie pour surveiller les gens qui font du paysage sur
nature », dit-il à Ambroise Vollard. Ce dégoût apparent
pour le paysage aurait pu être causé par le mal qu'avaient
ses yeux à supporter la vive lumière. Se trouvant un jour
au bord de la mer, il écrivit un à un ami : « Le temps est
beau, mais plus Monet que mes yeux ne peuvent supporter ! ».

Dès ses débuts, Degas s'essaya pourtant à des sujets paysagistes, et il lui arriva de temps en temps de se consacrer au
paysage en tant que tel, et même de travailler en plein air.
Mais le thème des courses, avec ses chevaux, jockeys et
parfois grooms sur fond de campagne française, tentera
toujours le pinceau de Degas, depuis le début des années
1860 jusqu'à la fin du siècle. Malgré la récurrence du sujet,
les paysages qui entourent ses chevaux et leurs cavaliers
évolueront considérablement avec le temps. Si, au début,
quelques cheminées ponctuent l'horizon, ces références
pourtant imprécises disparaîtront vers 1880, remplacées par
d'anonymes vallonnements et rideaux d'arbres.

Au cours de séjours dans la campagne normande, près du haras du Pin, où le recevaient ses amis Valpinçon, Degas se familiarisa avec les traditions de l'élévage et des courses de chevaux. Ses premiers paysages équestres s'inspireront directement de modèles anglais (page 127), mais dès le milieu des années 1860, avec des œuvres telles *Chevaux de courses, devant les tribunes* (pages 122 et 129) et il renonce aux représentations conventionnelles du simple sport. Pour décrire le monde des courses aux environs de Paris, il reste fidèle à son attachement passionné au spectacle de la vie contemporaine et nous montre jockeys et coursiers devant un public à la mode assis dans les tribunes – confrontation entre acteurs et spectateurs qu'il reprendra plus tard, dans les années 1870, pour les scènes de ballet ou de café-concert. Dépeignant en revanche ses amis Valpinçon dans *Aux courses en province* (page 134), il leur fait tourner le dos à la course qui se déroule dans le lointain, et sert tout au plus de toile de fond aussi réussie qu'inattendue à un portrait de famille.

Les photographies animées d'Eadweard Muybridge permirent à Degas de mieux connaître la dynamique des chevaux, mais il ne manifestera que peu d'intérêt pour les mécanismes des courses ; au regard de son traitement des petits métiers parisiens, ses tableaux et pastels de chevaux et jockeys demeurent fort imprécis. Il dépeint volontiers les moments les plus calmes de la course, cava-

lier et sa monture défilant avant le départ ou après l'arri-
vée, plus rarement le peloton de chevaux au point de
départ. Groupés en lignes diagonales qui découpent
l'espace ou arrangés en une frise parallèle à la ligne
d'horizon, ces chevaux sont disposés avec autant de soin
qu'une rangée de danseuses s'apprêtant à saluer. Pour
Degas, un tableau était avant tout le produit de l'imagination de l'artiste et ne saurait être une copie. Si l'on
pouvait rajouter çà et là quelques touches empruntées à
la nature, il ne fallait pas oublier que l'air décrit dans un
tableau n'est pas celui que l'on respire.

Course de gentlemen. Avant le départ, vers 1862
Huile sur toile, 48 x 61 cm
Musée d'Orsay, Paris

Aux courses : le départ, vers 1860–1862
Huile sur toile, 32 x 46 cm
Harvard University Museums, Fogg Art Museum,
Cambridge, Massachusetts

Le Faux Départ, 1866–1868
Huile sur panneau, 32 x 40 cm
Yale University Art Gallery, New Haven, Connecticut

Le Défilé. Chevaux de courses, devant les tribunes, 1866–1868
Peinture à l'essence sur papier sur toile, 46 x 61 cm
Musée d'Orsay, Paris

Quatre études d'un jockey, vers 1866-1868
Essence sur papier chamois, 32 x 29,5 cm
Collection particulière

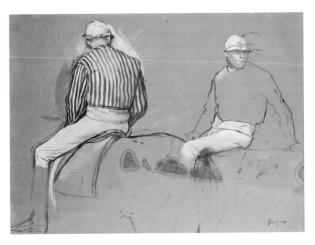

Deux études d'un jockey, vers 1866–1868
Essence sur papier chamois, 23,2 x 31 cm
Collection particulière

Quatre études d'un jockey, vers 1866–1868
Peinture à l'essence sur papier huilé, 45 x 31,5 cm
The Art Institute of Chicago

Un jockey, vers 1866–1868
Peinture à l'essence sur papier huilé, 34,5 x 24,5 cm
Collection particulière

Aux courses en province, 1869
Huile sur toile, 36,5 x 55,9 cm
Museum of Fine Arts, Boston

Chevaux de courses à Longchamp, 1871, repris par la suite ?
Huile sur toile, 34,1 x 41,8 cm
Museum of Fine Arts, Boston

Le Départ pour la chasse, 1863–1865 et 1873
Huile sur toile, 68 x 88,5 cm
Collection particulière

Chevaux dans un pré, 1871
Huile sur toile, 32 x 40 cm
National Gallery of Art, Washington, D.C.

Jockeys, vers 1881-1885
Huile sur toile, 26,4 x 39,9 cm
Yale University Art Gallery, New Haven, Connecticut

Le Champ de courses, jockeys amateurs, 1876 et 1887
Huile sur toile, 66 x 81 cm
Musée d'Orsay, Paris

Chevaux de courses, vers 1880
Huile sur toile, 39 x 89 cm
Collection Fondation Emil G. Bührle, Zurich

Chevaux de courses, vers 1884
Pastel sur papier, 57,5 x 65,4 cm
Cleveland Museum of Art

Le Jockey, vers 1887
pastel sur papier, 32 x 49 cm
Philadelphia Museum of Art

Cheval en marche, probablement avant 1881
Cire rouge, H. : 21 cm
National Gallery of Art, Washington, D.C.

Avant la course, 1882
Huile sur panneau, 26,5 x 34,9 cm
Sterling and Francine Clark Art Institute,
Williamstown, Massachusetts

Avant la course, 1882–1884
Pastel sur papier, 64 x 55 cm
Museum of Art, Rhode Island School of Design, Providence

Etude de jockey, vers 1887–1890
Fusain sur papier, 31 x 24,9 cm
Musée Boymans van Beuningen, Rotterdam, Pays-Bas

Cheval et jockey, 1887-1890
Sanguine sur papier, 28,3 x 41,8 cm
Musée Boymans van Beuningen, Rotterdam, Pays-Bas

Cheval emporté, étude pour Scène de steeple-chase, 1866
Mine de plomb et fusain sur papier, 23,1 x 35,5 cm
Sterling and Francis Clark Art Institute, Williamstown, Mass.

Jockey blessé, 1896–1898
Huile sur toile, 181 x 151 cm
Kunstmuseum Basel, Suisse

DANSEUSES ET MUSICIENS

De tous les thèmes inédits découverts par Degas autour de 1870, c'est le monde du ballet qui connaîtra la plus grande pérennité. Une remarquable évolution de traitement, depuis les premiers petits tableaux de répétitons de danse vers 1871 jusqu'aux monumentaux pastels et peintures de danseuses du début du siècle, marquera ce sujet qui en est venu à personnifier le nom et l'art de Degas.

La famille du peintre manifestait le plus vif intérêt pour la musique, et l'on sait que, jeune homme, il fréquentait assidûment l'opéra. Dans le Paris de cette époque, le ballet était l'apanage de la troupe de danse de l'Opéra, qui exécutait aussi bien les numéros chorégraphiques agrémentant les opéras ou opérettes que les ballets proprement dits. Parvenir au corps de ballet constituait un rêve pour les jeunes femmes d'humble naissance, qui pouvaient espérer assurer leur sécurité financière grâce aux abonnés admis à fréquenter le foyer de la danse.

Degas avait déjà exécuté *Sémiramis construisant Babylone* (page 35), œuvre de vastes dimensions peut-être inspirée de l'opéra de Rossini sur ce thème, et représenté Eugénie Fiocre dansant dans le ballet *La Source* (page 155). Mais c'est le portrait de son ami Désiré Dihau, bassoniste à l'Opéra, qui l'introduit dans le monde de la danse contemporaine. Dans ce tableau, intitulé *L'Orchestre de l'Opéra* (page 158), les jambes gainées de collants et les jupes roses des danseuses sur scène forment un contraste joyeux avec les habits noirs des musiciens dans la fosse. Ainsi est inauguré un thème qui obsédera Degas pendant des décennies.

Rendant visite à Degas dans son atelier en 1874, l'écrivain Edmond de Goncourt vit quelques-unes des œuvres récentes du peintre. Il fut particulièrement frappé par une toile – *La Répétition* (page 168) – : « C'est le foyer de la danse…, avec la silhouette fantastique des jambes de danseuses descendant un petit escalier… au milieu de tous ces blancs nuages ballonnants, avec le repoussoir canaille d'un maître de ballet ridicule. Et l'on a devant soi, surpris par la nature, le gracieux tortillage des mouvements et des gestes de ces petites filles-singes ». Après avoir observé l'œuvre, Goncourt se tournait vers l'auteur, qui « … vous exhibe ses tableaux, commentant de temps en temps son explication par la mimique d'un développement chorégraphique, par l'imitation, selon l'expression des danseuses, d'une de leurs *arabesques*. Et c'est vraiment très amusant de le voir, sur le haut de ses pointes, les bras arrondis, mêler à l'esthétique du maître de danse, l'esthétique du peintre ».

Degas dépeint volontiers des danseuses sur scène lors d'une représentation, mais la majorité des images consacrées au ballet traite des leçons et séances d'exercices qui occupaient les journées. Qu'elles effectuent une figure ou se reposent, ces danseuses au travail témoignent de l'intime compréhension qu'avait Degas de leur dur métier, qu'il assimilait peut-être à son inlassable quête de la perfection artistique. Ainsi que l'écrivait un observateur, « il était intimement persuadé que les rigueurs des répétitions ne cessaient jamais ».

La précision et la perspicacité avec laquelle Degas a dessiné et peint les rigueurs de l'existence de la danseuse contredisent les déclarations qu'il fera plus tard pour expliquer son goût pour ce thème. Ainsi prétendit-il devant la collectionneuse américaine Louisine Havemeyer avoir découvert dans la danse un moyen de retrouver « le mouvement combiné des Grecs », tandis qu'il disait en ronchonnant à Vollard que tous ceux qui l'appelaient le peintre des danseuses oubliaient qu'il les peignait surtout pour rendre le mouvement et montrer de jolis vêtements.

Il se montrait sans doute moins fuyant et plus sincère en déclarant que « la danseuse n'était qu'un prétexte au dessin ». La plus célèbre de ses sculptures, la *Petite danseuse de quatorze ans* (page 189), est d'ailleurs basée sur une série de dessins. Posés par une jeune élève de l'école de ballet de l'Opéra, ces dessins révèlent la sensibilité de l'artiste à la personnalité de son modèle et exaucent son désir de mieux cerner la forme. Degas ira jusqu'à dédier un sonnet à une petite danseuse – qui pourrait bien être celle-ci :

Danse, gamin ailé, sur les gazons de bois.
Ton bras maigre, placé dans la ligne suivie
Equilibre, balance et ton vol et ton poids.
Je te veux, moi qui sais, une célèbre vie.

Taglioni, venez, princesse d'Arcadie,
Ennoblir et former, souriant de mon choix,
Ce petit être neuf, à la mine hardie.

Si Montmartre a donné l'esprit et les aïeux.
Roxelane le nez et la Chine les yeux,
A ton tour, Ariel, donne à cette recrue

Tes pas légers de jour, tes pas légers de nuit…
Mais, pour mon goût connu ! qu'elle sente son fruit
Et garde aux palais d'or la race de sa rue.

Ce n'est pas un secret que Degas pouvait se montrer fort
sentimental lorsqu'il s'agissait de danseuses. Se plaignant
du poids des ans dans une lettre au sculpteur Albert Bartholomé en 1886, il lui disait : « à part le cœur, il semble
que tout vieillit en moi proportionnellement. Et même
ce cœur a de l'artificiel. Les danseuses l'ont cousu dans
un sac de satin rose, du satin rose un peu fané, comme
leurs chaussons de danse ».

Portrait de Mademoiselle Fiocre, à propos du ballet de « la Source »,
1867-1868. Huile sur toile, 130 x 145 cm
The Brooklyn Museum

Etude de M. Gouffé, vers 1869
Crayon sur papier, 18,8 x 12 cm
Mr. et Mrs. Eugene Victor Thaw, New York

Louis-Marius Pilet, vers 1869
Huile sur toile, 95,5 x 61 cm
Musée d'Orsay, Paris

L'Orchestre de l'Opéra, 1870
Huile sur toile, 56,5 x 46,2 cm
Musée d'Orsay, Paris

Musiciens à l'orchestre, 1870-1871, repris vers 1874-1876
Huile sur toile, 69 x 49 cm
Stadtische Galerie im Stadelschen Kunstinstitut, Francfort

Trois nonnes, étude pour « Ballet de Robert le Diable », vers 1871
Pinceau et encre sur papier, 28 x 45 cm
The Victoria and Albert Museum, Londres

Ballet de Robert le Diable, vers 1876
Huile sur toile, 76,6 x 81,3 cm
The Victoria and Albert Museum, Londres

Classe de danse, 1871
Huile sur bois, 19,7 x 27 cm
The Metropolitan Museum of Art, New York

Foyer de la danse à l'Opéra, 1872
Huile sur toile, 32 x 46 cm
Musée d'Orsay, Paris

Danseuse assise vue de profil, 1873
Peinture à essence sur papier bleu, 23 x 29,2 cm
Musée du Louvre, Département des Arts Graphiques
(Fonds du Musée d'Orsay), Paris

Danseuse debout vue de dos, vers 1873
Essence sur papier rose, 39,4 x 27,8 cm
Musée du Louvre, Département des Arts Graphiques
(Fonds du Musée d'Orsay), Paris

Répétition d'un ballet sur la scène, 1874
Huile sur toile, 65 x 81 cm
Musée d'Orsay, Paris

La Répétition sur la scène, vers 1874
Pastel sur dessin à la plume et papier, collé en plein sur
bristol appliqué sur toile, 53,3 x 72,3 cm
The Metropolitan Museum of Art, New York

La Répétition, 1874
Huile sur toile, 58,4 x 83,8 cm
The Burrell Collection, Glasgow

Jules Perrot, 1875
Dessin à l'essence sur papier chamois, 48,1 x 30,3 cm
Philadelphia Museum of Art

La Classe de danse, commencé en 1873, achevé vers 1876
Huile sur toile, 85 x 75 cm
Musée d'Orsay, Paris

Examen de danse, 1874
Huile sur toile, 83,8 x 79,4 cm
The Metropolitan Museum of Art, New York

Ballet (L'Etoile), 1876–1877
Pastel sur monotype, 58 x 42 cm
Musée d'Orsay, Paris

L'Arabesque, vers 1877
Essence et pastel sur toile, 67 x 38 cm
Musée d'Orsay, Paris

Danseuses à la barre, 1876-1877
Essence sur toile, 75,6 x 81,3 cm
The Metropolitan Museum of Art, New York

Danseuses à la barre, vers 1877
Pastel sur papier, 66 x 51 cm
Collection particulière

La Répétition, vers 1878–1879
Huile sur toile, 47,6 x 61 cm
The Frick Collection, New York

Danseuses à leur toilette (Examen de danse), vers 1879
Pastel sur papier, 63,4 x 48,2 cm
Denver Art Museum

Pauline et Virginie Cardinal bavardant avec des admirateurs,
vers 1877. Monotype à l'encre noire sur papier, 21,5 x 16 cm
Harvard University Art Museums, Fogg Art Museum,
Cambridge, Massachusetts

Danseuse dans sa loge, vers 1877
Gouache et pastel sur papier, 60 x 40 cm
Collection Oskar Reinhart, « Am Römerholz »,
Winterthur, Suisse

Danseuse au bouquet saluant, vers 1877
Pastel et gouache sur papier, 72 x 77,5 cm
Musée d'Orsay, Paris

Danseuses dans les coulisses, vers 1878
Pastel et détrempe sur papier, 66,7 x 47,3 cm
Norton Simon Art Foundation, Pasadena, Californie

Eventail : La Farandole, vers 1879
Gouache sur soie, avec touches de peinture argent et or,
30,7 x 61 cm. Collection particulière

Choristes, 1876–1877
Pastel sur monotype sur papier, 27 x 31 cm
Musée d'Orsay, Paris

Aria après le ballet, vers 1879
Pastel (sur monotype ?) sur papier, 59,7 x 75 cm
Dallas Museum of Art, Wendy and Emery Reves Collection

Feuille d'études : Danseuse au tambourin, vers 1882
Pastel et fusain sur papier, 46 x 58 cm
Musée d'Orsay, Paris

Quatre études d'une danseuse, 1878–1879
Fusain et rehauts de blanc sur papier, 48,9 x 32,1 cm
Musée du Louvre, Département des Arts Graphiques
(Fonds du Musée d'Orsay), Paris

Trois études d'une danseuse en quatrième position, vers 1879–1880
Fusain et pastel sur papier chamois, 48 x 61,6 cm
The Art Institute of Chicago

Petite danseuse de quatorze ans, 1879–1881
Cire, jupe et corsage de coton, perruque en cheveux recouverte
de cire, ruban de satin, sur base en bois, H. : 95,2 cm.
Mr. et Mrs. Paul Mellon

Deux danseuses, vers 1878–1880
Pastel et fusain sur papier, 46,4 x 32,4 cm
Collection particulière

La Leçon de danse, 1881
Huile sur toile, 81,6 x 76,5 cm
Philadelphia Museum of Art

Danseuse assise, vers 1881
Pastel sur papier, 62 x 49 cm
Musée d'Orsay, Paris

L'Attente, vers 1882
Pastel sur papier, 47 x 60 cm
Norton Simon Art Foundation, Pasadena, Californie,
et The J. Paul Getty Museum, Malibu, Californie

La Leçon de danse, vers 1880
Huile sur toile, 39,4 x 88,4 cm
Sterling and Francine Clark Art Institute,
Williamstown, Massachusetts

Danseuses montant l'escalier, vers 1888
Huile sur toile, 39 x 90 cm
Musée d'Orsay, Paris

Danseuse nue, se tenant la tête, vers 1882–1885
Pastel et fusain sur papier bleu, 49,5 x 30,7 cm
Musée d'Orsay, Paris

La Salle de danse, vers 1890
Huile sur toile, 38 x 90 cm
Yale University Art Gallery, New Haven, Connecticut

Danseuse s'étirant, vers 1882–1885
Pastel sur papier gris, 46,7 x 29,7 cm
Kimbell Art Museum, Fort Worth

Danseuse debout, 1885–1890
Pastel sur papier gris, 47,2 x 29,8 cm
Museum of Art, Rhode Island School of Design, Providence

Avant l'entrée en scène, vers 1880
Pastel sur papier, 58 x 44 cm
Collection particulière

Danseuse verte (Danseuse basculant), vers 1880
Pastel et gouache sur papier, 66 x 36 cm
Collection Thyssen-Bornemisza, Madrid

Répétition de danse au Foyer de l'Opéra, vers 1890
Huile sur toile, 88,6 x 95,9 cm
Norton Simon Art Foundation, Pasadena, Californie

Danseuses en rose et vert, vers 1890
Huile sur toile, 82,2 x 75,6 cm
The Metropolitan Museum of Art, New York

NUS

Dans les cercles artistiques officiels à l'époque de Degas, le dessin et la peinture de la figure humaine et particulièrement du nu, constituaient le suprême accomplissement académique. A l'instar de ses condisciples de l'Ecole des Beaux-Arts et des artistes indépendants qu'il rencontra en Italie, Degas révérait le nu et le copiait assidûment dans des sculptures de l'Antiquité et de la Renaissance, des peintures et gravures. Puis il suivit des cours « sur le modèle », où un modèle nu posait pour les étudiants. Les dessins préparatoires aux tableaux d'histoire exécutés par Degas dans les années 1860, tels les *Petites filles spartiates provoquant des garçons* et la *Scène de guerre au Moyen Age* (pages 37 et 41), attestent la maîtrise qu'il acquit très tôt du nu en mouvement ou au repos. Jusqu'à la fin, il fera des nus, qui deviennent résolument modernes après les années 1860. Comme il le remarquait devant un ami : « Voyez ce que peut sur nous la différence des temps ; il y a deux siècles, j'aurais peint des Suzanne au bain, et je ne peins que des femmes au tub ». Cette quête du nu contemporain prit à la décennie suivante la forme d'une série de monotypes représentant des femmes dans un intérieur, dont certains en noir et blanc et d'autres enrichis de pastel au point de ressembler à des tableautins. Il en est qui montrent indéniablement des chambres et salons de bordels (*La Fête de la patronne*, page 211, en est un bon exemple), mais d'autres, moins explicites, pourraient représenter n'importe quelle femme au bain, se séchant ou lisant à la lumière de la lampe à huile après son bain. Il ne semble pas que ces gravures aient été exposées en public du vivant de Degas, ou très rarement, et il n'est pas impossible que sa famille ait détruit les plus osées après sa mort. Les poses élaborées par Degas dans ses monotypes « d'intérieur » lui ont sans doute ouvert la voie d'une gamme encore plus riche de possibilités expressives du nu, puisqu'il réalise au milieu des années 1880 une quantité de pastels de grande taille et merveilleusement achevés sur le thème des baigneuses. Dix d'entre eux furent exposés ensemble lors de la dernière exposition impressionniste en 1886, sous la description générale « Suite de nus de femmes se baignant, se lavant, se séchant, s'essuyant, se peignant ou se faisant peigner ». Aucune des femmes de cette série ne regarde directement le spectateur ; toutes sont vues en gros plan mais paraissent uniquement absorbées par leur tâche. En dépit de l'absence de sous-entendu érotique – ou précisément à cause de cela – ces nus déclenchèrent un scandale dans la presse artistique. Certains critiques les jugèrent admirables, d'autres furent choqués par leur trop grande franchise. Décrivant *Femme se baignant dans un tub (Le Tub)* (page 222), l'un de ces écrivains observait que Degas « n'a rien dissimulé de ses allures de batracien,… des apparitions stupéfiantes des ventres, des genoux et des pieds dans des raccourcis inattendus », tandis que le même pastel inspirait à un autre l'évocation de « la beauté et la force d'une statue gothique ».

Du vivant même de Degas, le réalisme intransigeant des nus de cette période le fit taxer de cruauté artistique. Il dit lui-même à un critique : « Ah ! ah ! les femmes ne me pardonnent pas ça ; elles me détestent, elles sentent que je les désarme. Je les montre, sans leur coquetterie, à l'état de bêtes qui se nettoient ! ». Déjà, comme aujourd'hui, les auteurs ne pouvaient se mettre d'accord sur la misogynie qu'on lui prêtait, d'aucuns voyant un signe de respect dans sa description brutalement franche des femmes, d'autres attribuant à la haine ou la crainte ces représentations si peu flatteuses. Quel que soit le point de vue adopté, le thème de la femme nue inspira à Degas d'inépuisables inventions de formes et de compositions. Poussant plus avant ses recherches, il se mit à la sculpture, modelant des figures en cire et plasticine. L'un de ses plus grands succès fut *Le Tub* (page 227), datant de la fin des années 1880, où l'on voit une femme nue sculptée en cire empoignant de la main gauche le rebord d'une bassine tandis qu'elle se lave le pied gauche de l'autre main. La bassine de plomb est emplie d'une « eau » façonnée en plâtre blanc et l'ensemble repose sur un « drap » froissé en tissu imbibé de plâtre. Vue d'en haut, la figure s'inscrit dans un cercle inséré dans un carré – moderne version d'un médaillon de Della Robbia.

Le Tub, vers 1876-1877
Monotype à l'encre noire sur papier, 42 x 54,1 cm
Bibliothèque d'Art et d'Archéologie,
Fondation Jacques Doucet, Paris

Admiration, vers 1877–1880
Monotype à l'encre noire rehaussé au pastel sur papier,
21,5 x 16,1 cm. Bibliothèque d'Art et d'Archéologie
Fondation Jacques Doucet, Paris

Repos sur le lit, 1878–1879
Monotype à l'encre noire sur papier, 12,1 x 16,4 cm
Musée Picasso, Paris

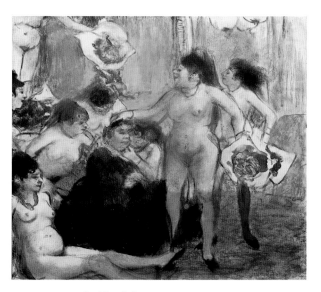

La Fête de la patronne, 1876-1877
Pastel sur monotype sur papier, 26,6 x 29,6 cm
Musée Picasso, Paris

Scène de bordel, vers 1878–1879
Monotype à l'encre noire sur papier, 16,1 x 11,8 cm
Bibliothèque d'Art et d'Archéologie,
Fondation Jacques Doucet, Paris

Deux femmes, vers 1878–1879
Monotype à l'encre noire rehaussé de pastel sur papier,
16,3 x 11,9 cm. Bibliothèque d'Art et d'Archéologie,
Fondation Jacques Doucet, Paris

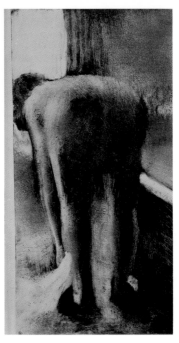

Femme nue s'essuyant les pieds, vers 1879–1883
Monotype à l'encre noire sur papier, planche : 45,1 x 23,9 cm
Musée du Louvre, Département des Arts Graphiques
(Fonds du Musée d'Orsay), Paris

Danseuse attachant le cordon de son maillot, vers 1885-1890 (?)
Plastiline brun jaune, H. 42,6 cm
National Gallery of Art, Washington, D.C.

Femme s'accroupissant, vers 1879
Pastel sur monotype, 18 x 14 cm
Musée d'Orsay, Paris

Le Coucher, vers 1883
Pastel sur papier, 36,4 x 43 cm
The Art Institute of Chicago

Femme nue se peignant, vers 1884–1886
Pastel sur papier, 55 x 52 cm
Musée de l'Ermitage, Saint-Pétersbourg

Torse de femme, vers 1885 ?
Monotype à l'encre brune sur papier, 50 x 39,3 cm
Bibliothèque Nationale de France, Paris

La Toilette après le bain, vers 1885
Pastel sur papier, 81 x 56 cm
Ny Carlsberg Glyptothek, Copenhague, Danemark

Femme nue s'essuyant les pieds, vers 1885-1886
Pastel sur papier, 54,3 x 52,4 cm
Musée d'Orsay, Paris

Femme se baignant dans un tub (Le Tub), 1886
Pastel sur papier, 60 x 83 cm
Musée d'Orsay, Paris

Femme se baignant dans un tub, 1886
Pastel sur papier, 70 x 70 cm
Hill-Stead Museum, Farmington, Connecticut

Femme dans un tub, 1884–1886
Pastel sur papier, 68 x 68 cm
The Tate Gallery, Londres

Femme se lavant la jambe gauche, vers 1890
Cire jaune, rouge et vert olive, petit pot de céramique vert,
H. 20 cm. National Gallery of Art, Washington, D.C.

Le Tub, 1888–1889
Corps en cire dans une bassine en plomb remplie de plâtre sur
un socle de linge trempé dans du plâtre et de bois,
Diam. : 47 cm National Gallery of Art, Washington, D.C.   227

Femme nue se faisant coiffer, vers 1886–1888
Pastel sur papier, 74 x 60,6 cm
The Metropolitan Museum of Art, New York

Baigneuse allongée sur le sol, 1886
Pastel sur papier, 48 x 87 cm
Musée d'Orsay, Paris

Femme devant un miroir, vers 1885-1886
Pastel sur papier, 49 x 64 cm
Hamburger Kunsthalle, Allemagne

Jeune femme se peignant, vers 1890–1892
Pastel sur papier, 82 x 57 cm
Musée d'Orsay, Paris

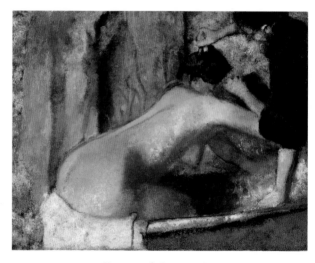

Femme au bain, vers 1895
Huile sur toile, 71 x 89 cm
The Art Gallery of Ontario, Toronto

Après le bain, femme s'essuyant la nuque, vers 1895
Pastel sur papier, 62,2 x 65 cm
Musée d'Orsay, Paris

LES DERNIÈRES ŒUVRES

Dès 1890, Degas était un maître reconnu, dont les œuvres atteignaient des prix considérables lorsqu'il consentait à les vendre, et de mieux en mieux traité par la critique. Après la dernière exposition impressionniste en 1886, il ne montra qu'épisodiquement ses tableaux et pastels, mais autorisait les marchands à qui il les vendait à organiser des présentations restreintes. Il se mit à beaucoup voyager et à collectionner des œuvres des grands artistes qu'il admirait particulièrement, les impressionnistes mais aussi Ingres et Delacroix qu'il révérait, et le jeune Paul Gauguin.

En 1890, au cours d'un voyage en Bourgogne en tilbury avec son ami Bartholomé, il fut reçu par un ami peintre, chez qui il réalisa une remarquable série de monotypes presque abstraits à l'encre de couleur, évoquant chacun un paysage, réel ou imaginé par le voyageur. De retour à Paris, il en exécuta d'autres, les rehaussant de couches de pastel tantôt délicates tantôt épaisses et grumeleuses. A l'automne 1892, Degas exposa plus d'une vingtaine de ces paysages à la galerie de son marchand Paul Durand-Ruel, la dernière exposition à laquelle il prêterait la main et la seule de toute sa carrière uniquement consacrée à ses œuvres.

Cette incursion dans le domaine du paysage (brièvement renouvelée à la fin des années 1890 dans des tableaux) serait le dernier recours à de nouveaux thèmes. Pendant les années 1890 et dans les premières années du siècle, Degas revint aux danseuses, baigneuses, aux courses, aux portraits, si familiers, découvrant des solutions novatrices et stupéfiantes aux problèmes formels qu'il avait lui-même posés une génération auparavant.

Les dernières danseuses éblouissent par l'éclat du coloris et l'audace du traitement de la surface. Degas renforce les contours de ses tableaux à l'huile ou au mélange de fusain et de pastel qui a alors ses préférences. Il lui arrive de réunir danseuses et baigneuses en des compositions complexes et sinueuses, aux figures juxtaposées dans un espace sans profondeur ou parsemant un champ fuyant. S'il fit poser des modèles pendant toutes ces années, l'on sait aussi qu'il s'inspirait très souvent d'œuvres antérieures, dessins au fusain et pastels dont il multipliait les calques et contre-épreuves.

Il est sans doute trop facile d'attribuer les hardiesses techniques et la concentration artistique de Degas à des problèmes de vision, apparus dès les années 1870 et qui empirèrent vers 1900, ou à la vie recluse où il s'enferma désormais. La vigueur des couleurs n'est qu'apparemment simpliste, comme en témoigne une œuvre légèrement antérieure, *La Coiffure* (page 265), aux contours fortement définis mais délicatement ombrés, à la palette intense mais subtilement variée.

S'il se plaignait de solitude, Degas continuait de voir ses amis proches, comme le peintre Suzanne Valadon, et de correspondre avec eux. Au fils de l'un de ses plus vieux amis, il écrivait en 1907 : « Je suis toujours ici à travailler. Me voici remis au dessin, au pastel. Je voudrais arriver à terminer quelques articles. De toute façon, il le faudrait. Les voyages ne me tentent plus ».

Paysage (Paysage de Bourgogne), 1890
Monotype en couleurs à l'huile sur papier, 30 x 40 cm
Musée du Louvre, Département des Arts Graphiques
(Fonds du Musée d'Orsay), Paris

Paysage, vers 1892
Pastel sur papier, 48,9 x 49,2 cm
The Museum of Fine Arts, Houston

Chevaux de courses, 1895–1900
Pastel sur papier, 54 x 63 cm
National Gallery of Canada, Ottawa

Chevaux de courses dans un paysage, 1894
Pastel sur papier, 48,9 x 62,8 cm
Collection Thyssen-Bornemisza, Madrid

A Saint-Valéry-sur-Somme, 1896–1898
Huile sur toile, 67,5 x 81 cm
Ny Carlsberg Glyptothek, Copenhague, Danemark

Maisons au pied d'une falaise, 1896–1898
Huile sur toile, 92 x 73 cm
Columbus Museum of Art, Ohio

Renoir et Mallarmé, 1895
Epreuve au gélatino-bromure d'argent, 38,9 x 29,2 cm
Bibliothèque littéraire Jacques Doucet, Paris

Mallarmé et Paule Gobillard, 1896
Epreuve au gélatino-bromure d'argent, 29,2 x 37 cm
Musée d'Orsay, Paris

Rose Caron, vers 1892
Huile sur toile, 76,2 x 86,2 cm
Albright–Knox Art Gallery, Buffalo

Madame Alexis Rouart et ses enfants, vers 1905
Pastel sur papier, 160 x 141 cm
Musée du Petit Palais, Paris

Deux blanchisseuses et des chevaux, vers 1905
Fusain et pastel sur papier-calque, 84 x 107 cm
Musée Cantonal des Beaux-Arts, Lausanne

Chez la modiste, vers 1905-1910
Pastel sur papier, 91 x 75 cm
Musée d'Orsay, Paris

Danseuses russes, 1899
Pastel sur papier, 62,2 x 62,9 cm
The Museum of Fine Arts, Houston, The John A.
and Audrey Jones Beck Collection

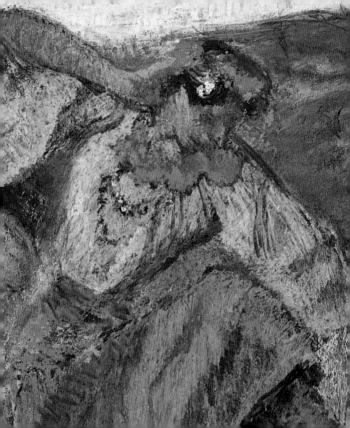

Danseuses bleues, vers 1893
Huile sur toile, 85 x 75,5 cm
Musée d'Orsay, Paris

Quatre danseuses, vers 1896-1898
Huile sur toile, 150 x 180 cm
National Gallery of Art, Washington, D.C.

Les Danseuses, vers 1899
Pastel sur papier, 62,2 x 64,8 cm
The Toledo Museum of Art, Ohio

Danseuses, vers 1899
Pastel sur papier, 56 x 46 cm
The Art Museum, Princeton University, New Jersey

Scène de ballet, vers 1900
Pastel sur papier, 76,8 x 111,2 cm
National Gallery of Art, Washington, D.C

Quatre danseuses sur la scène, vers 1900
Huile sur toile, 73 x 92 cm
Museu de Art, São Paulo Assis Chateaubriand, Brésil

Danseuses à la barre, vers 1900
Huile sur toile, 130 x 96,5 cm
The Phillips Collection, Washington, D.C.

Deux danseuses au repos, vers 1900
Pastel sur papier, 92 x 103 cm
Musée d'Orsay, Paris

Groupe de danseuses, vers 1900
Huile sur toile, 46 x 61 cm
National Gallery of Scotland, Edimbourg

Danseuses dans la salle de répétition, vers 1900–1910
Huile sur toile, 70,5 x 100,5 cm
Von der Heydt Museum, Wuppertal, Allemagne

Après le bain, 1896
Huile sur toile, 116 x 97 cm
Collection particulière, Paris

Après le bain, vers 1896
Huile sur toile, 89 x 116 cm
Philadelphia Museum of Art

La Lettre, 1890–1895
Pastel sur papier, 49,8 x 58 cm
Collection particulière

La Coiffure, vers 1896
Huile sur toile, 124 x 150 cm
National Gallery, Londres

Après le bain, 1895–1900
Pastel sur papier, 76,2 x 82,8 cm
The Phillips Collection, Washington, D.C.

Femme se séchant les cheveux, vers 1900
Pastel sur papier, 70,3 x 71,8 cm
Norton Simon Art Foundation, Pasadena, Californie

Baigneuses, vers 1896–1900
Pastel et fusain sur papier, 108,9 x 111,1 cm
Dallas Museum of Art

Baigneuses, vers 1896–1900
Pastel sur papier, 104,6 x 108,3 cm
The Art Institute of Chicago

Trois danseuses nues, vers 1900
Fusain sur papier, 89 x 88 cm
Musée du Louvre, Département des Arts Graphiques
(Fonds du Musée d'Orsay), Paris

Trois danseuses nues, vers 1900-1910
Fusain sur papier, 77,2 x 63,2 cm
The Arkansas Arts Center, Little Rock

Femme nue se séchant, 1900–1905
Fusain et pastel sur papier, 78,7 x 83,8 cm
The Museum of Fine Arts, Houston

Femme à sa toilette, 1900–1905
Pastel sur papier, 74,6 x 71,3 cm
The Art Institute of Chicago

CHRONOLOGIE

1834 19 juillet. Naissance à Paris d'Hilaire-Germain-Edgar Degas, fils d'Auguste De Gas, originaire de Naples, et de Célestine, née Musson, de la Nouvelle-Orléans.

1845 Il entre au prestigieux lycée Louis-le-Grand, où il fait connaissance d'Henri Rouart et de Paul Valpinçon, qui toute sa vie resteront ses amis.

1847 Mort de sa mère.

1853 Degas obtient le baccalauréat, fait de brèves études de droit et s'inscrit comme copiste au Louvre et à la Bibliothèque Nationale.

1855 Il entre à l'Ecole des Beaux-Arts dans la classe du peintre Louis Lamothe, et a l'occasion de rencontrer Ingres, qu'il admire intensément.

1856-1859 Voyages en Italie, où il rend visite à sa famille à Naples et Florence. Pendant ce séjour de trois ans, il fait de nombreuses copies d'après les maîtres anciens, dessine des nus sur le modèle à l'Académie de France à Rome et beaucoup d'études pour des portraits.

1860 Il continue à développer des idées de compositions historiques;

1865 *Scène de guerre au Moyen Age* (page 41) est exposé au Salon. Rencontre avec Edouard Manet vers cette époque.

1866 *Scène de steeple-chase* est exposé au Salon.

1870 Pendant la guerre franco-prussienne, Degas s'engage dans la Garde Nationale pour la défense de Paris. Il est possible qu'à cette occasion l'exposition au mauvais temps lui ait abîmé les yeux.

Années 1870 Il amplifie et donne corps aux thèmes de la vie contemporaine qu'il avait commencé à explorer à la fin de la décennie précédente : portraits, chevaux et jockeys, opéra et ballet, blanchisseuses.

1872-1873 Voyage en compagnie de son frère René à la Nouvelle-Orléans pour rendre visite à leur famille, qu'il représente dans des portraits et scènes de leur vie, dont *Portraits dans un bureau (Nouvelle-Orléans)* (page 95).

1874 Le père de Degas meurt en Italie, laissant des affaires familiales très désordonnées. A partir de cette date, Degas se verra contraint de vendre ses œuvres pour vivre et rembourser les dettes de sa famille. Ouverture au mois d'avril de la première exposition impressionniste, où il envoie dix œuvres.

1876 Il expose vingt-quatre œuvres à la seconde exposition impressionniste.

1877 Son envoi à la troisième exposition impressionniste comprend vingt-cinq numéros, dont *Portraits dans un bureau*, la première de ses œuvres acquise plus tard par un musée.

1879 Quatrième exposition impressionniste, où Degas montre vingt tableaux et cinq éventails peints.

1880 A l'inauguration de la cinquième exposition impressionniste, la section de Degas n'est toujours pas complète, et il enverra plusieurs œuvres en retard.

Années 1880 Il commence à beaucoup voyager, en France et en Europe.

1881 La *Petite danseuse de Quatorze ans* (page 189) déchaîne l'admiration et le mépris lors de la sixième exposition impressionniste.

1882 Degas refuse d'exposer à la septième exposition impressionniste.

1886 A la huitième et dernière exposition impressionniste, il montre une suite de nus « se baignant, se lavant, se séchant, se peignant… ».

Années 1890 Il continue à enrichir sa collection d'œuvres de maîtres anciens (Greco), de grands peintres du XIXᵉ siècle (Ingres, Delacroix), de ses contemporains (Manet, Cézanne, Pissarro, mais pas Monet) et de jeunes artistes (Gauguin). Il se rend fréquemment dans les villes d'eaux en France et en Suisse pour suivre des cures.

1892 Il monte la première exposition exclusivement consacrée à son œuvre, la seule qu'il ait organisée de son vivant, chez son marchand Durand-Ruel, où n'apparaissent que des paysages, pour la plupart monotypes rehaussés de pastel. Et il continue à peindre, dessiner et sculpter, recourant à ses sujets les plus caractéristiques, particulièrement la danseuse et le nu féminin.

1895 Degas commence à prendre ses propres photographies, et force ses amis à poser.

1897 Il rompt avec son ami de toujours Ludovic Halévy à cause de l'affaire Dreyfus.

Années 1900 Malgré sa mauvaise santé et sa vision déclinante, Degas continue à exécuter dessins, pastels, tableaux et sculptures. Pour faire de l'exercice et se distraire, il marche dans les rues de Paris.

1912 Vente de son tableau *Danseuses à la barre* (page 174) qui établit un record mondial de prix pour une œuvre d'un artiste vivant. Il change d'atelier pour la dernière fois, et cesse probablement de travailler.

1917 27 septembre. Mort de Degas à son domicile parisien. On l'enterre dans le caveau de famille au cimetière de Montmartre.

SUGGESTIONS BIBLIOGRAPHIQUES

La première étude exhaustive de l'œuvre de Degas fut celle de Paul-André Lemoisne, *Degas et son œuvre*, 1945-1949 (rééditée en langue anglaise en 1984 avec un supplément de Philippe Brame et Theodore Reff chez Garland Publishers). L'ouvrage de Lemoisne a été remis à jour par Jean Sutherland Boggs *et al.* dans *Degas*, le catalogue de l'exposition qui eut lieu à Paris, Ottawa et New York en 1988 (Editions de la Librairie Centrale des Beaux-Arts). On doit à Reff le catalogue des journaux et carnets de Degas, *The Notebooks of Edgar Degas*, 2ᵉ édition revue et corrigée, parue aux Etats-Unis chez Clarendon Press en 1985 (voir aussi, de Reff, *Degas, The Artist's Mind*, 1976). Le rôle historique du peintre a été retracé par John Rewald dans *Histoire de l'impressionnisme* (Editions Albin Michel, 1986).

Parmi les ouvrages généraux consacrés à l'artiste, citons Henri Loyrette, *Degas* (Editions Fayard, 1991), Jean-Pierre Cabanne, *Degas* (Editions du Chêne, 1993), Patrick Bade, *Degas* (Editions Hazan, 1994) et Denys Sutton, *Degas : vie et œuvre* (Editions Nathan, 1970). On trouvera une compilation des écrits de Degas dans l'ouvrage de Richard Kendall, *Degas by Himself*, (1987). Et pour pénétrer l'époque de Degas, on consultera de Ambroise Vollard, *En écoutant*

Cézanne, Degas et Renoir (Editions Grasset, collection Cahiers Rouges, 1994) et de Daniel Halévy, *Degas parle* (Editions Fallois, 1996).

Pour l'étude des supports et techniques, voir Jean Adhémar et Françoise Cachin, *Degas : gravures et monotypes* (Editions des Arts et Métiers graphiques, 1973), Anne Pingeot et Frank Horvat, *Degas, sculptures* (Editions de l'Imprimerie Nationale et des Musées Nationaux, 1991), Boggs Jean Sutherland et Anne Maheux, *Degas, pastels* (Editions Anthèse, 1992). Et en langue anglaise, les ouvrages de Charles Millard, *The Sculpture of Edgar Degas* (1976) et de Sue Welsh Reed, Barbara Stern Shapiro et Clifford Ackley, *Edgar Degas : The Painter as Printmaker* (1984).

Enfin parmi les études consacrées aux thèmes de l'artiste, citons Paul Valéry, *Degas, danse et dessin* (Editions Gallimard, collection Idées, 1983), Georgia Sion, *Degas : les danseuses* (Editions Herscher, 1993). Et en langue anglaise : Boggs, *Degas Portraits* (1962), George T.M. Shackelford, *Degas : The Dancers* (1984), Richard Thomson, *Degas : The Nudes* (1988), Richard Kendall, *Degas Landscapes* (1993) et Felix Baumann *et al.*, *Degas Portraits* (1995).

INDEX DES DONATEURS

INDEX DES ILLUSTRATIONS

CRÉDITS PHOTOGRAPHIQUES

Les photographes et les sources des illustrations qui ne sont pas mentionnés dans les légendes sont les suivants (les numéros renvoient aux pages) :

Titre de l'ouvrage original : *Edgar Degas*
Traduit de l'anglais (États-Unis) par : Florence Austin

© 1996 George T.M. Shackelford
Ouvrage original : © 1996, Abbeville Press, New York
Version française : © 1996, Éditions Abbeville, Paris
Mise en page de l'édition française : X-Act, Paris

Petit Carré est une marque déposée par les Editions Abbeville

Dépôt légal 4e trimestre 1996
ISBN 2-87946-110-3
Imprimé en Italie